数学文化

李大潜 主编

从圆周率计算浅谈计算数学

Cong Yuanzhoulü Jisuan
Qiantan Jisuan Shuxue

汤涛

中国教育出版传媒集团

高等教育出版社·北京

图书在版编目（CIP）数据

从圆周率计算浅谈计算数学 / 汤涛编 . -- 北京：
高等教育出版社，2018.6（2024.5 重印）
（数学文化小丛书 / 李大潜主编 . 第四辑）
ISBN 978-7-04-049637-6

Ⅰ . ①从… Ⅱ . ①汤… Ⅲ . ①计算数学 - 普及读物
Ⅳ . ① O24-49

中国版本图书馆 CIP 数据核字（2018）第 084277 号

项目策划　李艳馥　李　蕊

策划编辑　李　蕊　　　　责任编辑　李　蕊　　　　封面设计　张　楠
版式设计　马　云　　　　插图绘制　于　博　　　　责任校对　王　雨
责任印制　存　怡

出版发行	高等教育出版社	网　　址	http://www.hep.edu.cn
社　　址	北京市西城区德外大街 4 号		http://www.hep.com.cn
邮政编码	100120	网上订购	http://www.hepmall.com.cn
印　　刷	中煤（北京）印务有限公司		http://www.hepmall.com
开　　本	787mm×960mm　1/32		http://www.hepmall.cn
印　　张	2.5		
字　　数	43 千字	版　　次	2018 年 6 月第 1 版
购书热线	010-58581118	印　　次	2024 年 5 月第 3 次印刷
咨询电话	400-810-0598	定　　价	9.00 元

本书如有缺页、倒页、脱页等质量问题，请到所购图书销售部门联系调换
版权所有　侵权必究
物 料 号　49637-00

数学文化小丛书编委会

数学文化小丛书总序

　　整个数学的发展史是和人类物质文明和精神文明的发展史交融在一起的。数学不仅是一种精确的语言和工具、一门博大精深并应用广泛的科学,而且更是一种先进的文化。它在人类文明的进程中一直起着积极的推动作用,是人类文明的一个重要支柱。

　　要学好数学,不等于拼命做习题、背公式,而是要着重领会数学的思想方法和精神实质,了解数学在人类文明发展中所起的关键作用,自觉地接受数学文化的熏陶。只有这样,才能从根本上体现素质教育的要求,并为全民族思想文化素质的提高夯实基础。

　　鉴于目前充分认识到这一点的人还不多,更远未引起各方面足够的重视,很有必要在较大的范围内大力进行宣传、引导工作。本丛书正是在这样的背景下,本着弘扬和普及数学文化的宗旨而编辑出版的。

　　为了使包括中学生在内的广大读者都能有所收益,本丛书将着力精选那些对人类文明的发展起过重要作用、在深化人类对世界的认识或推动人类对世界的改造方面有某种里程碑意义的主题,由学有专长的学者执笔，抓住主要的线索和本质的内容，由浅入深并简明生动地向读者介绍数学文化的丰富内涵、数学文化史诗中一些重要的篇章以及古今中外一些著名数学家的优秀品质及历史功绩等内容。每个专题篇幅不长，并相对独立，以易于阅读、便于携带且尽可能降低书价为原则，有的专题单独成册，有些专题则联合成册。

希望广大读者能通过阅读这套丛书，走近数学、品味数学和理解数学，充分感受数学文化的魅力和作用，进一步打开视野、启迪心智，在今后的学习与工作中取得更出色的成绩。

李大潜

2005 年 12 月

目　　录

一、引　　言

这本小册子选择从圆周率的计算说起, 主要原因是:

- 首先, 历史意义. 圆周率的话题历史悠远, 简单易懂. 圆周率连接了众多伟大的数学家: 阿基米德、刘徽、祖冲之、牛顿、欧拉、高斯等.
- 其次, 数学意义. 圆周率的计算, 集中了阿基米德、刘徽、欧拉、莱布尼茨等大数学家们伟大的智慧, 同时也涉及作为高斯－勒让德算法基础的椭圆函数等高深数学理论.
- 最后, 社会意义. 直到今天, 圆周率仍然吸引了很多人的注意力, 关于圆周率的故事和普及性的书非常之多.

作者上中学时就读过一本大数学家写的关于圆周率的书, 就是华罗庚先生写的《从祖冲之的圆周率谈起》(参见 [1]). 我第一次从这本书中, 知道了祖冲之提出的约率和密率中蕴藏着的鲜为人知的玄机, 利用其中的原理, 就可以计算出农历的月大月小、闰年闰月、日月食等周期性变化的现象, 并通过这本书, 第一次接触了辗转相除、有理数逼近、渐近分数、最佳逼近等数学概念.

李大潜先生写的数学文化小丛书之一《圆周率 π 漫话》(参见 [2]), 介绍了圆周率的起源、性质、割圆术、级数算法、随机算法, 使读者横跨几千年, 对圆周率的计算有了一个立体感觉.

这本小册子将通过计算圆周率这个主题, 浅谈数学在现代算法发展上的重要性. 在李大潜先生大作的基础上, 作者将在算法方面做更进一步的探讨, 尤其侧重适用于计算机运算的方法. 两本小册子虽然都讲圆周率, 但内涵与角度很不相同, 各有其特点.

鉴于本书是写给中学生和数学爱好者读的, 作者将尽量用比较浅显的数学知识, 比如三角函数、级数、迭代等概念来阐述主要思想. 希望通过这本小册子, 让读者从一个很小的角度感悟到好的计算方法的魅力.

二、圆周率与解析法

圆周率的计算方法主要有两类：一类是几何方法，利用多边形逼近单位圆来近似计算圆周率，其代表人物有阿基米德、刘徽，他们的方法通称为割圆术，在李大潜先生的大作 [2] 中第三节有通俗易懂的讲解；另一类计算圆周率的方法是解析方法．这里主要讲后者．

1. 韦 达 公 式

中学生最先接触到的数学家之一就是法国数学家韦达 (François Viète, 1540—1603, 图 1)，一元二次方程的韦达定理，是每个中学生都学过的．而正是韦达等人引入的代数符号，以及笛卡儿发明的解析几何，使人们能够用代数方法处理之前只能用纯粹几何方法处理的很多问题．

像他的同胞费马、帕斯卡、笛卡儿一样，韦达也是一个业余数学研究者，他把数学作为一种训练智力的消遣方式，而不是作为职业．他曾经参加了亨利四世和西班牙的战争，并证明了自己是破译密码的

图 1 　法国数学家韦达

高手. 关于他的一件轶事至今仍在流传: 一封西班牙国王的密信被法国截获了, 这封密信被送到韦达手上, 并被他成功破译了. 西班牙人非常惊讶自己的密码居然可以被破译, 觉得不可思议, 于是就指责法国人采用巫术, "违背了基督教的信仰"[3].

　　1593 年, 韦达发现了下面这个无穷乘积:

$$\frac{2}{\pi} = \frac{\sqrt{2}}{2} \cdot \frac{\sqrt{2+\sqrt{2}}}{2} \cdot \frac{\sqrt{2+\sqrt{2+\sqrt{2}}}}{2} \cdots . \quad (2.1)$$

注意到这里韦达首次在一个乘积的后面加了三个点, 虽然只是简单的三个点, 但这是人类第一次将无限过程明确地表现成一个数学公式, 它同时也宣告了现代意义下的数学分析的诞生. 这个公式的右端重复运用了加、乘、除、开方四种基本运算, 并仅出现了数字 2, 但它的左端却奇妙地出现了 π 的值.

只要用到一点极限的定义, 就可以证明 (2.1). 事实上, 不断地用正弦的倍角公式可以得到

$$\begin{aligned}
\sin x &= 2 \sin \frac{x}{2} \cdot \cos \frac{x}{2} \\
&= 2^2 \sin \frac{x}{4} \cos \frac{x}{4} \cos \frac{x}{2} \\
&= 2^3 \sin \frac{x}{8} \cos \frac{x}{8} \cos \frac{x}{4} \cos \frac{x}{2} \\
&= \cdots .
\end{aligned}$$

重复上述过程 n 次, 就可以得到

$$\sin x = 2^n \sin \frac{x}{2^n} \cdot \cos \frac{x}{2^n} \cdot \cos \frac{x}{2^{n-1}} \cdot \cdots \cdot \cos \frac{x}{2}.$$

重组上式, 就可以得到

$$\sin x = x \cdot \frac{\sin(x/2^n)}{x/2^n} \cdot \cos \frac{x}{2} \cdot \cos \frac{x}{4} \cdot \cdots \cdot \cos \frac{x}{2^n}. \quad (2.2)$$

在上式中, 固定 x, 令 $n \to \infty$, 再用到下面这个事实:

$$\lim_{y \to 0} \frac{\sin y}{y} = 1,$$

就可以得到

$$\frac{\sin x}{x} = \cos \frac{x}{2} \cdot \cos \frac{x}{4} \cdot \cos \frac{x}{8} \cdots . \quad (2.3)$$

在 (2.3) 里, 令 $x = \dfrac{\pi}{2}$, 注意到 $\sin \dfrac{\pi}{2} = 1, \cos \dfrac{\pi}{4} = \dfrac{\sqrt{2}}{2}$, 并对后面每一项都采用半角公式

$$\cos \frac{x}{2} = \sqrt{\frac{1 + \cos x}{2}},$$

就可以得到 (2.1).

2. 莱布尼茨公式

上节给出的韦达公式基本上是中看不中用的: 做了很多很多乘法也很难得到几位 π 的有效数字, 通过它来计算 π 比阿基米德、刘徽等用的几何算法还要慢很多.

第一个被用来真正算圆周率的可能是下面的这个公式:

$$\frac{\pi}{4} = 1 - \frac{1}{3} + \frac{1}{5} - \frac{1}{7} + \frac{1}{9} + \cdots. \qquad (2.4)$$

这个结果很漂亮, 也很奇妙: 它的左边有一个无理数, 而右边出现的全部是有理数; 左边还出现了一个偶数, 而右边出现了所有的奇数!

1671 年, 苏格兰数学家葛列格里 (James Gregory) 发现了下面的反正切函数的幂级数展开式:

$$\arctan x = x - \frac{x^3}{3} + \frac{x^5}{5} - \frac{x^7}{7} + \cdots, \quad -1 < x \leqslant 1. \qquad (2.5)$$

三年后的 1674 年, 另一位更伟大的数学家, 也是微积分的创造者之一, 德国数学家莱布尼茨 (Gottfried Wilhelm Leibniz, 1646—1716, 图 2) 发现了 (2.4), 因此这个级数也叫莱布尼茨级数.

虽然葛列格里很吃力地推导出了 (2.5), 但莱布尼茨把 $x = 1$ 代进去得到 (2.4), 就轻而易举地取得了一个冠名权. 这个公式被冠名的主要原因可能有两点: 首先, 它太简单漂亮了; 其次, 它还可以被用来计算圆周率 π!

图 2　德国数学家莱布尼茨

公式 (2.4) 可以用比较初等的方法给出. 中学生都学过下面的展开式: 对所有满足 $0 < q < 1$ 的 q, 有

$$\frac{1-(-q)^{n+1}}{1+q} = 1-q+q^2-q^3+q^4-q^5+\cdots+(-1)^n q^n.$$

在上式中令 $q = x^2$ (其中 $0 < x < 1$) 得到

$$\frac{1}{1+x^2} = 1-x^2+x^4-x^6+\cdots+(-1)^n x^{2n} + \frac{(-1)^{n+1} x^{2n+2}}{1+x^2},$$

用求和符号表示, 就有

$$\frac{1}{1+x^2} = \sum_{k=0}^{n}(-1)^k x^{2k} + \frac{(-1)^{n+1} x^{2n+2}}{1+x^2}.$$

如果再用一点积分的知识

$$\frac{\pi}{4} = \arctan 1 = \int_0^1 \frac{1}{1+x^2} \, dx,$$

就可以得到

$$\begin{aligned}
\frac{\pi}{4} = \arctan 1 &= \int_0^1 \frac{1}{1+x^2} \, dx \\
&= \int_0^1 \left(\sum_{k=0}^n (-1)^k x^{2k} + \frac{(-1)^{n+1} x^{2n+2}}{1+x^2} \right) dx \\
&= \sum_{k=0}^n \frac{(-1)^k}{2k+1} + (-1)^{n+1} \int_0^1 \frac{x^{2n+2}}{1+x^2} \, dx.
\end{aligned}$$

再利用估计

$$0 < \int_0^1 \frac{x^{2n+2}}{1+x^2} \, dx < \int_0^1 x^{2n+2} \, dx$$
$$= \frac{1}{2n+3} \to 0, \quad n \to \infty,$$

就推导出了 (2.4).

那么, 我们马上就会问: 这个漂亮的公式 (2.4) 是否真的可以用来算 π 呢?

利用计算机算一算可以发现: 对 (2.4) 计算 500 项, 竟达不到小数点后两位有效数字! 而算 1000 项, 也不能够达到小数点后 3 位有效数字. 由表 1 给出的计算结果就可以看出这个结论.

表 1　采用莱布尼茨公式近似 π 的结果

n	100	300	500	700	900	1000
前 n 项的和	3.131 6	3.138 3	3.139 6	3.140 2	3.140 5	3.140 6

事实上, 利用莱布尼茨公式计算 π, 如果要达到 10 位有效数字, 需要上亿个计算量! 由此可以看出, (2.4) 是好看而不实用的.

3. 欧 拉 公 式

与 (2.4) 同样优美的级数还有下面这个著名的公式:

$$\frac{\pi^2}{6} = 1 + \frac{1}{2^2} + \frac{1}{3^2} + \frac{1}{4^2} + \cdots. \qquad (2.6)$$

如何计算

$$1 + \frac{1}{2^2} + \frac{1}{3^2} + \frac{1}{4^2} + \cdots, \qquad (2.7)$$

300 多年前曾经难倒了很多数学家, 包括大名鼎鼎的伯努利兄弟以及莱布尼茨等. 由于伯努利兄弟的家乡是瑞士的巴塞尔, 所以这个问题历史上被称作巴塞尔问题.

公式 (2.6) 是大数学家欧拉 (Leonhard Euler, 1707—1783, 图 3) 在 1735 年发现的, 它是数学史中最著名且漂亮的公式之一. 这是欧拉五大成名作之一, 他 28 岁解决了这个问题, 在国际数学界开始建立了名声.

下面我们简单回顾欧拉对公式 (2.6) 的证明. 首先注意到正弦函数的泰勒展开式

$$\sin x = x - \frac{x^3}{3!} + \frac{x^5}{5!} - \frac{x^7}{7!} + \cdots + (-1)^k \frac{x^{2k+1}}{(2k+1)!} + \cdots,$$
$$(2.8)$$

由此可以得到一个偶函数

图 3　瑞士数学家欧拉

$$\frac{\sin x}{x} = 1 - \frac{x^2}{3!} + \frac{x^4}{5!} - \frac{x^6}{7!} + \cdots + (-1)^k \frac{x^{2k}}{(2k+1)!} + \cdots.$$

从另一个角度看, 函数 $\dfrac{\sin x}{x}$ 的零点是 $x = \pm k\pi$ ($k = 1, 2, \cdots$). 我们可以想象这个函数可以写成下面的表达式:

$$\begin{aligned}
\frac{\sin x}{x} &= \left(1 - \frac{x}{\pi}\right)\left(1 + \frac{x}{\pi}\right)\left(1 - \frac{x}{2\pi}\right)\left(1 + \frac{x}{2\pi}\right)\cdots \\
&= \left(1 - \frac{x^2}{\pi^2}\right)\left(1 - \frac{x^2}{4\pi^2}\right)\left(1 - \frac{x^2}{9\pi^2}\right)\cdots
\end{aligned}$$

比较上面两个式子可以得到

$$\begin{aligned}
&1 - \frac{x^2}{3!} + \frac{x^4}{5!} - \frac{x^6}{7!} + \cdots \\
&= \left(1 - \frac{x^2}{\pi^2}\right)\left(1 - \frac{x^2}{4\pi^2}\right)\left(1 - \frac{x^2}{9\pi^2}\right)\cdots
\end{aligned}$$

进一步把右边展开得到

$$1 - \frac{x^2}{3!} + \frac{x^4}{5!} - \frac{x^6}{7!} + \cdots$$

$$= 1 - \left(\frac{1}{\pi^2} + \frac{1}{4\pi^2} + \frac{1}{9\pi^2} + \frac{1}{16\pi^2} + \cdots \right) x^2 + \cdots.$$

比较两端 x^2 的系数就可以得到

$$-\frac{1}{3!} = -\left(\frac{1}{\pi^2} + \frac{1}{4\pi^2} + \frac{1}{9\pi^2} + \frac{1}{16\pi^2} + \cdots \right), \quad (2.9)$$

由此就立刻可以得到 (2.6).

欧拉接着又多展开了几项, 得到了更多有意思的恒等式, 比如

$$\sum_{k=1}^{\infty} \frac{1}{k^4} = \frac{\pi^4}{90}, \qquad \sum_{k=1}^{\infty} \frac{1}{k^6} = \frac{\pi^6}{945}, \qquad (2.10)$$

$$\sum_{k=1}^{\infty} \frac{1}{k^{26}} = \frac{2^{24} 76977927 \pi^{26}}{27!}. \qquad (2.11)$$

让我们再回到著名的欧拉公式 (2.6). 由于 (2.6) 的右端每一项都是正的, 我们可能认为 (2.6) 要比莱布尼茨级数 (2.4) 收敛得快很多. 出人意料的是, 事实并非如此: 与 (2.4) 需要 628 项比较起来, 欧拉级数 (2.6) 还是需要 600 项才可以计算到 π 的小数点后两位.

三、修正公式加速收敛

用多边形逼近单位圆的几何算法计算圆周率,在荷兰数学家鲁道夫 (Ludolph van Ceulen, 1540—1610) 手里走到极致. 他从 30 岁开始计算圆周率的值, 在 1596 年, 他采用阿基米德的方法, 以惊人的毅力和耐力, 计算圆的外切和内接正 2^{30} 边形得到 20 位准确 π 值之后, 最终在 1610 年计算到了正 2^{62} 边形, 将圆周率计算到小数点后的第 35 位. 他对自己的这个成就感到非常自豪, 自我评价是 "有志者, 事竟成" (Die lust heeft, can naerder comen). 当时鲁道夫所在的荷兰莱顿隶属德国, 这个 35 位数被崇敬他的德国人刻在其墓碑上; 直到今天, 荷兰人和德国人还常常称圆周率为 "鲁道夫数".

鲁道夫的计算成果是这个数字:

3.141 592 653 589 793 238 462 643 383 279 502 88.

相对于效率很低的几何方法, 用 "好" 的数学方法计算 π 值到 35 位有效数字实际上可以相当轻松; 看到本书的后面, 我们可以看到这实际上是轻而易举的一件小事, 完全不需要用一辈子的时间, 手算一天就可以了.

我们先讨论一个简单有效的改进方法, 叫修正公式法, 可用来提高计算速度. 需要指出, 这里给出的方法不仅能计算 π, 还可以用来类似地改进具有级数展开表达式的计算. 为了更好地演示这个方法, 我们考虑 (2.6). 首先定义

$$S_n = 1 + \frac{1}{2^2} + \cdots + \frac{1}{n^2}. \tag{3.1}$$

当 n 增加时, S_n 也稳步地增加到

$$S = \frac{\pi^2}{6} = 1.644\ 934\ 066\ 848\ 226 \cdots$$

的值; 这个从图 4 可以看到.

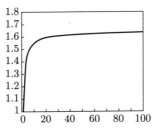

图 4 级数 S_n 随着 n 的增长递增到 $\dfrac{\pi^2}{6}$

接下来考察数值误差 $E_n = S - S_n$. 从图 5(a) 可以看到, 误差随着 n 的增加递减到 0. 但递减速度是多快呢?

为了估计这个速度, 由图 5(b) 可以看出随着 n 的增大, nE_n 收敛到一个常数, 这个常数看起来非常像 1.

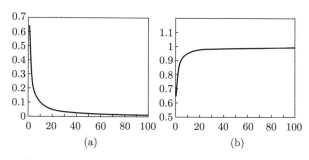

图 5 (a) 误差 $E_n = S - S_n$ 随着 n 的增长递减到 0;
(b) nE_n 随着 n 的增长趋于 1

于是我们可以猜测 $E_n \approx 1/n$, 即

$$S = S_n + \frac{1}{n} + \cdots,$$

其中 $\cdots$ 表示相对 $1/n$ 来说更加小的项.

这个观察可以继续进行下去: 考察 $n^2(S - S_n - 1/n)$ 的图像. 这时也基本上可以观察到其极限是一个常数. 类似地, 我们就有

$$S = S_n + \frac{1}{n} + \frac{C}{n^2} + \cdots,$$

其中 C 是一个常数.

基于这些事实, 可以有下面的猜想: 存在一系列常数 $B_0, B_1, B_2, \cdots$, 使

$$S = S_n + \frac{B_0}{n} + \frac{B_1}{n^2} + \frac{B_2}{n^3} + \frac{B_3}{n^4} + \cdots \qquad (3.2)$$

成立. 对于 $r = 0, 1, 2, \cdots, k - 1$, 如果可以算出所有的 B_r, 那么 $S = \pi^2/6$ 的计算公式就会得到如下的

改进:

$$S \approx S_n + \frac{B_0}{n} + \frac{B_1}{n^2} + \frac{B_2}{n^3} + \frac{B_3}{n^4} + \cdots + \frac{B_{k-1}}{n^k}.$$

但这些 B_r 是什么呢? 推导它们并不难, 只要一些中学的数学知识就够了!

首先注意到 (3.2) 对所有的自然数 n 都成立, 那么在 (3.2) 中用 $n-1$ 代替 n 得到

$$S = S_{n-1} + \frac{B_0}{n-1} + \frac{B_1}{(n-1)^2} +$$
$$\frac{B_2}{(n-1)^3} + \frac{B_3}{(n-1)^4} + \cdots. \tag{3.3}$$

将 (3.2) 和 (3.3) 两式相减得到

$$S_{n-1} - S_n$$
$$= B_0 \left(\frac{1}{n} - \frac{1}{n-1} \right) + B_1 \left[\frac{1}{n^2} - \frac{1}{(n-1)^2} \right] +$$
$$B_2 \left[\frac{1}{n^3} - \frac{1}{(n-1)^3} \right] + \cdots \tag{3.4}$$

再由 S_n 的定义 (3.1) 易知

$$S_n - S_{n-1} = \frac{1}{n^2}.$$

综合上面这两个表达式可以得到

$$-\frac{1}{n^2} = B_0 \left(\frac{1}{n} - \frac{1}{n-1} \right) + B_1 \left[\frac{1}{n^2} - \frac{1}{(n-1)^2} \right] +$$
$$B_2 \left[\frac{1}{n^3} - \frac{1}{(n-1)^3} \right] + \cdots, \tag{3.5}$$

通过上式, 可以找到 $B_r(0 \leqslant r \leqslant k-1)$ 的表达式. 这里, 我们需要一些初等恒等式. 例如

$$\frac{1}{n-1} = \frac{1}{n(1-1/n)} = \frac{1}{n} + \frac{1}{n^2} + \frac{1}{n^3} + \cdots,$$

$$\frac{1}{(n-1)^2} = \frac{1}{n^2(1-1/n)^2} = \frac{1}{n^2} + \frac{2}{n^3} + \frac{3}{n^4} +$$

$$\frac{4}{n^5} + \cdots.$$

更一般地, 我们有

$$\frac{1}{(n-1)^k} = \frac{1}{n^k(1-1/n)^k}$$

$$= \frac{1}{n^k} + \frac{k}{n^{k+1}} + \cdots + \frac{C_{k+r-1}^r}{n^{k+r}} + \cdots$$

其中

$$C_{k+r-1}^r = \frac{k(k+1)(k+2)\cdots(k+r-1)}{r!}.$$

现在我们可以用比较系数法这个传统的做法了. 将上述这些表达式和等式 (3.5) 联系起来, 就可以得到

$$\frac{1}{n^2} = B_0\left(\frac{1}{n^2} + \frac{1}{n^3} + \cdots\right) +$$

$$B_1\left(\frac{2}{n^3} + \frac{3}{n^4} + \cdots\right) + \cdots +$$

$$B_{k-1}\left[\frac{k}{n^{k+1}} + \frac{k(k+1)}{2n^{k+2}} + \cdots + \right.$$

$$\left.\frac{C_{k+r-1}^r}{n^{k+r}} + \cdots\right] + \cdots,$$

其中 $r = 0, 1, \cdots, k-1$. 为了找到 B_r 的值, 我们比较

等式两边包含 $\frac{1}{n^m}$ 的项, 其中 m 分别取值 $2, 3, 4, \cdots$.

例如, 上式左边 $\frac{1}{n^2}$ 的系数是 1, 右边相应的系数是 B_0, 因此

$$B_0 = 1.$$

继续考察 $\frac{1}{n^3}$ 和 $\frac{1}{n^4}$ 的项将会得到

$$0 = B_0 + 2B_1,$$
$$0 = B_0 + 3B_1 + 3B_2.$$

将 B_0 的数值代入到第一个方程会得到 B_1 的值, 再由第二个方程就可以得到 B_2 的值:

$$B_1 = -\frac{1}{2}, \qquad B_2 = \frac{1}{6}.$$

继续这个做法将会得到关于 B_k 的迭代公式:

$$B_0 = 1,$$
$$B_{k-1} = -\frac{1}{k}\Big(C_k^2 B_{k-2} + C_k^3 B_{k-3} + \cdots + B_0\Big),$$
$$k \geqslant 2. \qquad (3.6)$$

从 (3.6) 可以得到

$$B_0 = 1, \quad B_1 = -\frac{1}{2}, \quad B_2 = \frac{1}{6}, \quad B_3 = 0,$$
$$B_4 = -\frac{1}{30}, \quad B_5 = 0, \quad B_6 = \frac{1}{42}, \quad B_7 = 0,$$
$$B_8 = -\frac{1}{30}, \quad B_9 = 0, \quad \cdots.$$

注意到当 $r > 1$ 且为奇数时, $B_r = 0$. 另外, 对于偶数的 r, B_r 的符号交错出现. 同时也注意到上面给

出的 B_r 数字都比较小, 但是当 r 增加的时候, 这些值可以变得很大. 例如

$$B_{50} = \frac{495\,057\,205\,241\,079\,648\,212\,477\,525}{66}.$$

综合一下上面的讨论: 对于任何给定的 n 和 k, 我们将前面的 n 项求和得到 S_n, 然后再计算修正项

$$E_{n,k} = \frac{B_0}{n} + \frac{B_1}{n^2} + \cdots + \frac{B_{k-1}}{n^k}. \tag{3.7}$$

上面的 "修正项" 将被用来加速级数的收敛, 具体来说, 我们用式子

$$S \approx S_n + E_{n,k}$$

来逼近 S. 例如, 如果 $k = 10$, 那么

$$S = S_n + \frac{1}{n} - \frac{1}{2n^2} + \frac{1}{6n^3} - \frac{1}{30n^5} + \frac{1}{42n^7} -$$
$$\frac{1}{30n^9} + O\left(\frac{1}{n^{11}}\right), \tag{3.8}$$

其中最后一项表明我们预期的误差相当于 $\frac{1}{n^{11}}$ 的数量级. 对于 $n = 10$ 来说, 这意味着误差会减少至 10^{-11} 的量级, 对比于仅计算前十项 S_{10} 所产生的误差 (参考二, 知道大概是 0.1), 这是一个巨大的进步!

上述的做法真的可行吗? 答案是肯定的. 为了说明这一点, 我们考察 S_n 当 $n = 1, 5, 10$ 时的值以及其修正值. 根据不同的 k 值, 我们考察如下三个不同的公式:

$$P_n = S_n + \frac{1}{n},$$
$$Q_n = S_n + \frac{1}{n} - \frac{1}{2n^2} + \frac{1}{6n^3},$$

$$R_n = S_n + \frac{1}{n} - \frac{1}{2n^2} + \frac{1}{6n^3} - \frac{1}{30n^5} + \frac{1}{42n^7} - \frac{1}{30n^9}.$$

这三个公式带来的计算值如下:

表 2　采用不同修正项后的近似结果比较

n	S_n	P_n
1	1	2
5	1.463 611 111 111 111	1.663 611 111 111 111
10	1.549 767 731 166 541	1.649 767 731 166 541

n	Q_n	R_n
1	1.666 666 666 666 667	1.623 809 523 809 524
5	1.644 944 444 444 445	1.644 934 065 473 016
10	1.644 934 397 833 208	1.644 934 066 847 493

注意到 $\frac{\pi^2}{6}$=1.644 934 066 848 226···,可以观察到 R_{10} 的逼近是非常好的, 其误差已经小到 7×10^{-13}.

这个改进还是很令人鼓舞的: 我们只要在 S_n 上另外多加六项, 就可以把非常差的近似 (S_{10} 连小数点后面一项都不能保证!) 做到十几位精度.

用几乎相同的计算量, 把精度大大地提高, 这就是计算数学追求的一个重要目标!

最后顺便提及, 这里引入的常数 B_r ($r = 0, 1, 2, \cdots$) 非常有名, 称为伯努利数, 它在数论、力学等很多领域都有重要应用. 最早推出这些数的是瑞士伯努利数学家族代表人物之一的雅各布·伯努利 (Jacob Bernoulli, 1655—1705), 他最早引进 "积分" 这个术语, 也是较早使用极坐标系的数学家之一, 概率论中的伯努利试验与大数定理也是他提出来的.

1713 年, 雅各布 · 伯努利的巨著《猜度术》的出版是组合数学及概率论界的一件大事, 书中给出的伯努利数有很多应用. 从此, 伯努利数在数学史中星光闪烁, 比如它对理解费马大定理、黎曼 ζ 函数都非常重要, 而在微分几何中的凯尔韦尔 – 米尔诺 (Kervaire-Milnor) 公式也用到了伯努利数.

1842 年, 爱达 · 勒芙蕾丝 (Ada Lovelace, 1815—1852) 第一次记述了一个让电脑产生伯努利数的计算机程序. 勒芙蕾丝是著名英国诗人拜伦之女, 她被后世公认为是第一位计算机程序员, 我们现在用的循环和子程序等概念就是由她提出的.

四、数值积分近似圆周率

在二里我们曾提到莱布尼茨公式是通过积分

$$\frac{\pi}{4} = \int_0^1 \frac{1}{1+x^2} \mathrm{d}x \tag{4.1}$$

得到的. 实际上, 很多重要的数学常数都是可以用积分表达的. 这时, 利用数值方法来近似右端的积分, 就可以给出另一种计算圆周率的近似方法.

在当今的计算机时代, 利用数值积分可以很精确地找到几乎所有函数的积分值. 那么什么是数值积分呢? 假设我们想找到

$$I = \int_a^b f(x) \mathrm{d}x \tag{4.2}$$

的数值近似, 其中积分上下限 a 和 b 及被积函数 $f(x)$ 是给定的. 我们首先把积分区间 $[a, b]$ 等分成 n 个小区间, 每个区间长度为 $h = (b-a)/n$, 分点分别为

$$x_0 = a, \ x_1 = a + h, \ \cdots,$$
$$x_i = a + ih, \ \cdots, \ x_n = b.$$

然后在每个小区间 $[x_i, x_{i+1}]$ 上, 把 $f(x)$ 用一个适当的多项式代替, 就可以得到相应的数值积分公式.

1. 梯 形 公 式

如果在小区间 $[x_i, x_{i+1}]$ 上, $f(x)$ 被通过两点 $(x_i, f(x_i))$ 和 $(x_{i+1}, f(x_{i+1}))$ 的直线所代替, 那么根据积分的几何定义 (面积), 在这个区间上的积分可以用这条直线和 x 轴之间的梯形面积代替 (图 6). 此时, 每个小区间上的积分近似值很容易被验证是

$$\int_{x_i}^{x_{i+1}} f(x)\mathrm{d}x \approx \frac{h}{2}\Big(f(x_i) + f(x_{i+1})\Big),$$

$$h = \frac{b-a}{n}. \tag{4.3}$$

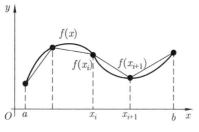

图 6 梯形公式示意图

利用 (4.3), 我们就可以得到近似积分

$$I = \int_a^b f(x)\mathrm{d}x$$

$$= \int_{x_0}^{x_1} f(x)\mathrm{d}x + \int_{x_1}^{x_2} f(x)\mathrm{d}x + \cdots + \int_{x_{n-1}}^{x_n} f(x)\mathrm{d}x$$

$$\approx \frac{h}{2}\Big[f(x_0) + f(x_1)\Big] + \frac{h}{2}\Big[f(x_1) + f(x_2)\Big] + \cdots +$$

$$\frac{h}{2}\Big[f(x_{n-1}) + f(x_n)\Big]. \tag{4.4}$$

把上式的最右端重组一下就得到梯形积分公式

$$I \approx I_n = h\Big[\frac{f(x_0)}{2} + f(x_1) + f(x_2) + \cdots +$$

$$f(x_{n-1}) + \frac{f(x_n)}{2}\Big]. \tag{4.5}$$

表 3 给出了用梯形公式计算 (4.1) 的数值结果以及相应的有效数字位数.

表 3 用梯形公式近似 π 的结果

n	梯形公式	小数点后有效数字位数
2	3.100 000 000 000 000	1
4	3.131 176 470 588 235	1
8	3.138 988 494 491 089	1
16	3.140 941 612 041 390	2
32	3.141 429 893 174 975	3
64	3.141 551 963 485 656	4

用 64 个函数值的运算得到 4 位有效数字, 结果似乎还可以. 但继续把给定的区间对半分 (相应的 n 值被加倍), 得到的效果改进不大. 比如, $n = 128, 256$ 及 512 时带来的有效数字仅分别为 4, 5 及 6 位.

以上结果说明, 如果仅需要 5 位以下的有效数字, 梯形公式还是可用的. 如果需要 10 位以上, 这个方法就太花时间了.

2. 辛普森公式

下面这个方法是英国数学家辛普森 (Thomas Simpson, 1710—1761) 提出来的. 辛普森也是一位传奇的数学家, 他一辈子没有上过大学, 作为一个织布工的儿子, 他根据自己的爱好自学了数学. 在 19 岁时, 他和一位 50 岁的寡妇结婚, 妻子还带了两个小孩. 他 33 岁时开始在皇家军事学院任教, 之后由于数学成就被选为英国皇家学会会员.

辛普森的方法是把 $[a, b]$ 等分成偶数个小区间, 每个小区间的长度记为 $h = (b-a)/n$ (n 为偶数). 然后在每个区间 $[x_j, x_{j+2}]$ ($0 \leqslant j \leqslant n-2$) 上采用 $(x_j, f(x_j)), (x_{j+1}, f(x_{j+1}))$ 和 $(x_{j+2}, f(x_{j+2}))$ 三个点来构成一个抛物线. 在区间 $[x_j, x_{j+2}]$ 上, 用对应此抛物线的二次多项式代替函数 $f(x)$, 再对这个多项式积分 (多项式积分总是很容易的).

比如, 考虑第一个积分区间 $[x_0, x_2]$ 上的三个点 $(x_0, f(x_0)), (x_1, f(x_1)), (x_2, f(x_2))$ (图 7). 可以验证通过此三点的抛物线所对应的二次多项式为

$$
\begin{aligned}
p(x) = {} & \frac{(x-x_1)(x-x_2)}{(x_0-x_1)(x_0-x_2)} f(x_0) + \\
& \frac{(x-x_0)(x-x_2)}{(x_1-x_0)(x_1-x_2)} f(x_1) + \\
& \frac{(x-x_0)(x-x_1)}{(x_2-x_0)(x_2-x_1)} f(x_2).
\end{aligned} \tag{4.6}
$$

这是以法国大数学家拉格朗日的名字命名的拉格朗日插值多项式的一个特殊形式. 可以验证, 多项式

(4.6) 满足: 它是一个二阶多项式; $p(x_0) = f(x_0)$, $p(x_1) = f(x_1), p(x_2) = f(x_2)$.

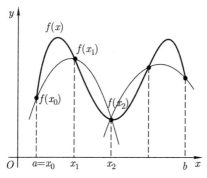

图 7　辛普森公式示意图

我们知道如何求一个一元二次多项式的积分, 比如

$$\int_{x_0}^{x_2} \frac{(x-x_1)(x-x_2)}{(x_0-x_1)(x_0-x_2)} \mathrm{d}x$$
$$= \frac{1}{(-h)(-2h)} \int_{x_0}^{x_2} (x-x_1)(x-x_2)\mathrm{d}x$$
$$= \frac{1}{2h^2} \int_{x_0}^{x_2} \left[(x-x_2)^2 + (x_2-x_1)(x-x_2)\right]\mathrm{d}x$$
$$= \frac{1}{2h^2} \left[-\frac{1}{3}(x_0-x_2)^3 - \frac{h}{2}(x_0-x_2)^2\right]$$
$$= \frac{1}{2h^2} \left[-\frac{1}{3}(-2h)^3 - \frac{h}{2}(-2h)^2\right] = \frac{h}{3}.$$

用类似的方法可以得到

$$\int_{x_0}^{x_2} \frac{(x-x_0)(x-x_2)}{(x_1-x_0)(x_1-x_2)} \mathrm{d}x = \frac{4h}{3},$$
$$\int_{x_0}^{x_2} \frac{(x-x_0)(x-x_1)}{(x_2-x_0)(x_2-x_1)} = \frac{h}{3}.$$

这样我们就可以找到 $f(x)$ 在 $[x_0, x_2]$ 上的近似积分值为

$$\int_{x_0}^{x_2} p(x)\mathrm{d}x = \frac{h}{3}\Big[f(x_0) + 4f(x_1) + f(x_2)\Big],$$

$$h = \frac{b-a}{n}. \qquad (4.7)$$

注意到区间的个数 n 是偶数, 可以对每个小区间 $[x_0, x_2], [x_2, x_4], \cdots, [x_{n-2}, x_n]$ 重复上面的过程, 得到著名的辛普森公式

$$I_n = \frac{h}{3}\Big[f(x_0) + 4f(x_1) + 2f(x_2) + 4f(x_3) +$$

$$2f(x_4) + \cdots + f(x_n)\Big]. \qquad (4.8)$$

在上面的公式中, 括号里面两边端点前的系数是 1, 奇数点前的系数是 4, 而偶数点前的系数是 2.

下面我们用辛普森公式来计算 π. 当 $n = 4$ 时, 使用辛普森公式数值积分 (4.1) 来计算 π. 把 $[0,1]$ 区间四等分, 这样在 x 轴上, 我们取点 $x = 0, 0.25, 0.5, 0.75$ 和 1. 很容易算出 $\dfrac{1}{1+x^2}$ 在这些节点上的相应值为 $1, \dfrac{16}{17}, \dfrac{4}{5}, \dfrac{16}{25}, \dfrac{1}{2}$. 辛普森公式 (4.8) 实际上很简单, 只要把这几个值和 $1, 2, 4$ 之一适当相乘后再相加就可以了 (表 4).

根据辛普森公式 (4.8), 表 4 得到的值 9.424 705 9, 需要除以 3 并且乘上小区间长度 $\dfrac{1}{4}$, 这样我们就得到了 0.785 392 156 9. 注意到这是 $\dfrac{\pi}{4}$ 的近似值; 把它再乘 4 就得到了 3.141 568 627 5. 也

就是说, 简单的两分钟手算就可以得到小数点后的
4 位有效数字!

表 4　用辛普森公式近似 π 的过程

x	$1/(1+x^2)$	相乘的系数	(4.8) 中括号里逐项相加的值
0.00	1.000 000 0	1	1.000 000 0
0.25	0.941 176 5	4	4.764 705 9
0.50	0.800 000 0	2	6.364 705 9
0.75	0.640 000 0	4	8.924 705 9
1.00	0.500 000 0	1	9.424 705 9

把区间 26 等分后我们就可以得到 3.141 592 653 5,
即得到了 π 的小数点后 10 位有效数字!

最后, 我们把积分区间 [0, 1] 分别等分成 2, 4, 8, 16,
32, 64 个小区间, 可以对 π 值得到下面的结果 (表 5):

表 5　用辛普森公式近似 π 的结果

n	辛普森公式	小数点后有效数字位数
2	3.133 333 333 333 333	2
4	3.141 568 627 450 980	4
8	3.141 592 502 458 707	6
16	3.141 592 651 224 823	8
32	3.141 592 653 552 836	10
64	3.141 592 653 589 216	12

用 64 个计算点得到 12 位有效数字, 这比梯形

公式有了很大改进. 再算下去, 继续把给定的区间对半分 (这样 n 的值被加倍), 得到的效果会有一定的改进. 比如, 当 $n = 128, 256$ 及 512 时, 小数点后的有效数字分别为 $14, 15$ 及 17 位.

几百个函数值运算, 就可以得到圆周率近 20 位的有效数字, 说明辛普森公式是一个简单、高效的方法.

五、迭代算法与求根

　　给定一个函数 $f(x)$ 以及一个初始值 x_0, 然后重复地计算

$$x_{k+1} = f(x_k), \quad k = 0, 1, 2, \cdots$$

就叫迭代法.

　　迭代法在人类有了计算机以后产生了巨大的作用. 它利用计算机运算速度快、适合做重复性操作的特点, 让计算机重复执行一组指令 (或一定步骤), 在每次执行这组指令 (或这些步骤) 时, 都从变量的原值推出它的一个新值. 虽然迭代法的思想产生在很久以前, 包括阿基米德、刘徽都用过, 但在计算机出现以前, 迭代法仅仅具有算法思想, 难以付诸实用, 其生命力也就非常有限了.

　　一个最典型的迭代法的例子是开根号. 假设我们不知道如何开根号, 这样就没有办法求 $\sqrt{2}$.

　　让我们换一个思路: 如何求 $x^2 - 2 = 0$ 的根或其近似根? 考虑 $x^2 - 2 = 0$ 的一个等价形式

$$x = \frac{1}{2}\left(x + \frac{2}{x}\right).$$

这就可形成一个迭代算法: 给定一个初始近似值 x_0, 通过公式

$$x_{k+1} = \frac{1}{2}\left(x_k + \frac{2}{x_k}\right), \quad k = 0, 1, 2, \cdots \quad (5.1)$$

逐次形成 $x_1, x_2, \cdots$. 即不断令 x_{k+1} 等于 x_k 和 $\frac{2}{x_k}$ 的算术平均数, 迭代六七次后得到的值就已经相当精确了.

例如, 假设首先猜测 $\sqrt{2}$ 的初始近似值为 1, 虽然它不是很准确, 但从表 6 可以看到, 使用迭代法 (5.1) 后, 迭代值很快就趋近于 $\sqrt{2}$ 了. 迭代 6 次有近 50 位有效数字, 而迭代 7 次就有近 100 位的有效数字!

为什么会有这么好的精确度呢?

下面我们做一些简单分析. 由 (5.1), 根据算术平均数大于几何平均数得出

$$x_{k+1} \geqslant \sqrt{x_k \cdot 2/x_k} = \sqrt{2}, \quad k = 0, 1, 2, \cdots.$$

另一方面, 仍由 (5.1) 可以得到

$$x_{k+1} - \sqrt{2} = \frac{1}{2}\left(x_k + \frac{2}{x_k}\right) - \sqrt{2}$$

$$= \frac{x_k^2 - 2\sqrt{2}x_k + 2}{2x_k} = \frac{(x_k - \sqrt{2})^2}{2x_k}.$$

结合上面这两个结果可以得到

$$0 \leqslant x_{k+1} - \sqrt{2} \leqslant \frac{1}{2\sqrt{2}}(x_k - \sqrt{2})^2,$$

表 6 迭代算法 (5.1) 前 7 次迭代后的近似值

k	x_k
0	1.000 000 000 000 000 000 000 000 000 000 000 000 000 000 000 0
1	1.500 000 000 000 000 000 000 000 000 000 000 000 000 000 000 0
2	1.416 666 666 666 666 666 666 666 666 666 666 666 666 666 666 6
3	1.414 215 686 274 509 803 921 568 627 450 980 392 156 862 745 098 039 215 686 274 509 803 921 56
4	1.414 213 562 374 689 910 626 295 578 890 134 910 116 559 622 115 744 044 584 905 019 200 054 37
5	1.414 213 562 373 095 048 801 689 623 502 530 243 614 981 925 776 197 428 498 289 498 623 195 82
6	1.414 213 562 373 095 048 801 688 724 209 698 078 569 671 875 377 234 001 561 013 133 113 265 25
7	1.414 213 562 373 095 048 801 688 724 209 698 078 569 671 875 376 948 073 176 679 737 990 732 47 8 462 107 038 850 387 534 327 64

注: 划线部分表示有效数字.

这种性质称为二次收敛或平方收敛. 具有这种性质的算法收敛非常快, 每迭代一步就可以加倍小数点后面的有效数字. 比如一开始的误差是 10^{-1}, 在迭代 6 次的过程中产生的误差分别是 $10^{-2}, 10^{-4}, 10^{-8}, 10^{-16}, 10^{-32}, 10^{-64}$ 的量级!

那么, 是不是每个迭代公式都可以收敛得这么快呢? 答案是否定的. 比如考虑求 $\sqrt{3}$ 的近似值, 通过等价于 $x^2 = 3$ 的方程

$$x = 1 + x - \frac{x^2}{3},$$

可以得到迭代公式

$$x_{k+1} = 1 + x_k - \frac{x_k^2}{3}. \tag{5.2}$$

这个迭代对任何给定的初始值 x_0 都是收敛的. 如取初始值为 $x_0 = 3$ 就可以得到表 7 的结果. 这时, 区别就看出来了: 对于迭代算法 (5.2), 迭代 7 次以后, 仅能得到 5 位有效数字, 而不是前面例子所给出的近 100 位有效数字.

表 7 迭代算法 (5.2) 前 7 次迭代后的近似值

k	0	1	2	3
x_k	3.000 00	1.000 00	1.666 67	1.740 74
k	4	5	6	7
x_k	1.730 68	1.732 26	1.732 01	1.732 05

对于 $\sqrt{3}$, 能否推导出像 (5.1) 这样的迭代公式, 使得它有平方收敛呢?

答案是肯定的. 我们还是考虑如下形式的方程:

$$x = Ax + \frac{B}{x}, \tag{5.3}$$

其中 A, B 为待定系数. 首先需要 (5.3) 和 $x^2 = 3$ 等价, 也就是说

$$(1 - A)x^2 = B, \implies \frac{B}{1 - A} = 3. \tag{5.4}$$

另一方面, 对于迭代公式 $x_{k+1} = Ax_k + \dfrac{B}{x_k}$ 可以推出

$$x_{k+1} - \sqrt{3} = \frac{1}{x_k}\left(Ax_k^2 - \sqrt{3}x_k + B\right).$$

如果需要右式出现 $(x_k - \sqrt{3})^2$ 这个因子, 就必须有判别式 $\sqrt{3}^2 - 4AB = 0$. 由 (5.4) 和这个结果可以得出 $A = \dfrac{1}{2}$ 和 $B = \dfrac{3}{2}$. 这时, 重复上面对 $\sqrt{2}$ 的推导, 可以验证迭代公式

$$x_{k+1} = \frac{1}{2}\left(x_k + \frac{3}{x_k}\right), \quad k = 0, 1, 2, \cdots$$

满足

$$0 \leqslant x_{k+1} - \sqrt{3} = \frac{(x_k - \sqrt{3})^2}{2x_k} \leqslant \frac{1}{2\sqrt{3}}(x - \sqrt{3})^2,$$
$$k = 1, 2, \cdots.$$

上述这种构造具有平方收敛的迭代方法, 适合于近似求 $\sqrt{5}, \sqrt{6}$ 等求根问题.

六、用迭代算法求圆周率

近两千年前的三国时代, 数学家刘徽提出的割圆术是中国古代数学中一个十分精彩的算法, 其基本思想就是不断倍增圆内接正多边形的边数来求出圆周率. 刘徽从直径为 2 尺的圆内接正六边形开始割圆, 依次得正 12 边形、正 24 边形, ···, 割得越细, 正多边形面积和圆面积之差越小, 用他的原话说是"割之弥细, 所失弥少. 割之又割, 以至于不可割, 则与圆周合体而无所失矣." 他计算了正 3072 边形面积并得到了 π 的近似值 3.1416.

约两百年后, 南北朝时期著名数学家祖冲之 (429—500, 图 8) 用刘徽割圆术计算 12 次, 分割圆为正 24576 (即 6×2^{12}) 边形, 精确 π 到小数点后第 7 位, 成为此后千年世界上最准确的圆周率. 祖冲之另一个贡献是密率, 他指出 π 接近于 $\frac{355}{113}$($=$3.1415929···). 华罗庚在 [1] 里说能搞出密率说明祖冲之懂连分数, 这点很不容易, 所以在国际上有数学家提出把这个密率叫祖率.

希腊数学家阿基米德最早用割圆术计算圆周率,

图 8　中国古代数学家祖冲之

他以计算周长为依据, 在推导过程中不考虑多边形面积, 和刘徽的以面积计算为中心的割圆术形成对照.

　　本节将采用割圆术的思想来形成一个迭代公式, 从而计算圆周率. 为了方便起见, 我们选择一个单位圆, 即半径为 1 的圆, 其周长为 2π. 注意到这个单位圆的周长介于其任意内接正多边形的周长和任意外切正多边形的周长之间, 即

　　单位圆的任意内接正多边形的周长 $\leqslant 2\pi \leqslant$
　　　单位圆的任意外切正多边形的周长,

这样就容易得到 π 的上下界, 因为计算内接和外切正多边形的周长相对来说要简单得多.

　　考虑图 9, 当单位圆的圆心角 2π 被 n 等分后, 我

们得到了 n 分之一个圆, 记其对应的圆心角为 $2\theta_n$, 相应的圆弧所连接的内接弦长 (即内接正 n 边形的边长) 记为 β_n. 从圆弧中点作出的切线与从圆心画出的两根射线有两个交点, 连接两个交点所成的线段长度 (即外切正 n 边形的边长) 记为 α_n. 容易验证

$$\frac{\alpha_n}{2} = \tan\theta_n, \qquad \frac{\beta_n}{2} = \sin\theta_n. \qquad (6.1)$$

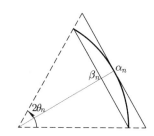

图 9   圆心角 $2\theta_n$ 及对应的部分内
切正多边形和外切正多边形

如果内角再被等分, 即图 9 被分成两个相等部分, 每部分对应的圆心角为 θ_n, 其对应的圆弧所连接的内接弦长 (即内接正 $2n$ 边形的边长) 记为 β_{n+1}. 从圆弧中点作出的切线与从圆心画出的两根射线有两个交点, 连接两个交点所成的线段长度 (即外切正 $2n$ 边形的边长) 记为 α_{n+1}. 类似于 (6.1), 可以得到

$$\frac{\alpha_{n+1}}{2} = \tan\frac{\theta_n}{2}, \qquad \frac{\beta_{n+1}}{2} = \sin\frac{\theta_n}{2}. \qquad (6.2)$$

- 第一步: 如何利用 α_n 和 β_n 来计算 α_{n+1}?

由基本的三角关系式以及 (6.2) 可以推导出

$$\alpha_{n+1} = 2 \frac{\sin \frac{\theta_n}{2}}{\cos \frac{\theta_n}{2}} = \frac{2 \sin \frac{\theta_n}{2} \cos \frac{\theta_n}{2}}{\cos^2 \frac{\theta_n}{2}}$$

$$= \frac{\sin \theta_n}{\cos^2 \frac{\theta_n}{2}} = 2 \frac{\sin \theta_n}{1 + \cos \theta_n}.$$

由 (6.1) 得到 $\sin \theta_n = \frac{\beta_n}{2}, \cos \theta_n = \frac{\beta_n}{\alpha_n}$. 结合上面的结果可以得到

$$\alpha_{n+1} = 2 \frac{\beta_n/2}{1 + \beta_n/\alpha_n} = \frac{\alpha_n \beta_n}{\alpha_n + \beta_n}.$$

- 第二步: 现在已经知道了 α_n, β_n 和 α_{n+1}, 如何计算 β_{n+1}?

由基本的三角关系式以及 (6.2) 可以推导出

$$\beta_{n+1} = 2 \sin \frac{\theta_n}{2} = \frac{2 \sin \frac{\theta_n}{2} \cos \frac{\theta_n}{2}}{\cos \frac{\theta_n}{2}} = \frac{\sin \theta_n}{\cos \frac{\theta_n}{2}}.$$

由 (6.1) 得到 $\sin \theta_n = \frac{\beta_n}{2}$, 而由 (6.2) 得到 $\cos \frac{\theta_n}{2} = \frac{\beta_{n+1}}{\alpha_{n+1}}$. 结合上面的结果可以得到

$$\beta_{n+1} = \frac{\beta_n/2}{\beta_{n+1}/\alpha_{n+1}},$$

由此立即得到

$$\beta_{n+1} = \sqrt{\frac{\alpha_{n+1} \beta_n}{2}}.$$

通过上面两个步骤, 就给出了下面的迭代关系:

$$\alpha_{n+1} = \frac{\alpha_n \beta_n}{\alpha_n + \beta_n}, \qquad \beta_{n+1} = \sqrt{\frac{\alpha_{n+1}\beta_n}{2}}. \qquad (6.3)$$

有了迭代公式 (6.3), 我们还需要一个迭代初值 α_0, β_0. 如图 10, 考虑单位圆的内接和外切正六边形. 此时, $2\theta_0 = \frac{2\pi}{6} = \frac{\pi}{3}$, 可以知道三角形 OPR 是一个等边三角形. 因此, $\beta_0 = \overline{PR} = 1, \alpha_0 = 2\overline{PY} = \frac{2}{\sqrt{3}}$.

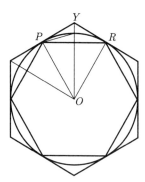

图 10 单位圆的内接正六边形和外切正六边形

利用上面给出的 α_0 和 β_0 以及迭代公式 (6.3), 可以计算出任意的 α_n 和 β_n. 注意到, α_n 是外切正多边形的边长, β_n 是内接正多边形的边长, $n = 0$ 对应正六边形, $n = 1$ 对应正 12 边形, $n = 2$ 对应正 24 边形, 以此类推. 记相应于 α_n 的外切正多边形的周长为 a_n, 记相应于 β_n 的内接正多边形的周长为 b_n, 很容易验证

$$a_0 = 6 \times 1 = 6, \quad b_0 = 6 \times \frac{2}{\sqrt{3}} = 4\sqrt{3},$$

且

$$a_n = 6 \cdot 2^n \alpha_n, \quad b_n = 6 \cdot 2^n \beta_n \quad n = 1, 2, \cdots.$$

结合上式和 (6.3) 得到

$$a_0 = 6, \quad b_0 = 4\sqrt{3},$$
$$a_{n+1} = \frac{2a_n b_n}{a_n + b_n}, \quad b_{n+1} = \sqrt{b_n a_{n+1}}, \quad (6.4)$$
$$n = 0, 1, \cdots.$$

如图 11 所见, 随着边数 n 的增加, 外切正多边形和内接正多边形会和单位圆越来越接近. 数学的表达就是: 当 $n \to \infty$ 时, $a_n \to 2\pi, b_n \to 2\pi$, 即 $a_n/2 \to \pi, b_n/2 \to \pi$.

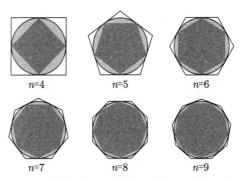

图 11 随着边数 n 的增加, 外切正多边形和
内接正多边形会和单位圆越来越接近

表 8 给出经过 40 次迭代后得到的数值解. 这是一个典型的线性收敛的结果, 一两次迭代后, 小数点后的有效数字提高了一位. 计算结果表明, 迭代了 40 次后, 我们得到了 20 多位有效数字.

表 8   迭代算法 (6.4) 前 40 次迭代的近似值

n	$a_n/2$	$b_n/2$
1	3.46410161513775458705 4892	3.00000000000000000000 0000
3	3.15965994209750048331 6634	3.13262861328123819716 1749
5	3.14271459964536829816 8859	3.14103195089050963811 1352
7	3.14166274705684852622 4490	3.14155760791185764551 6463
9	3.14159703432152615199 3218	3.14159046322805009573 8458
11	3.14159292738509703354 8008	3.14159251669215744759 2874
13	3.14159267017519984778 77018	3.14159264503369089667 2141
15	3.14159265465930603249 7220	3.14159265305503684169 1123
17	3.14159265365663778806 4203	3.14159265355637096366 2823
19	3.14159265359397102281 2640	3.14159265358770434628 7648
21	3.14159265359005434998 4517	3.14159265358966268270 1706
23	3.14159265358980955793 2760	3.14159265358978507872 7584
25	3.14159265358979425842 9525	3.14159265358979272847 9202
27	3.14159265358979330221 0573	3.14159265358979320658 8678
29	3.14159265358979324244 6889	3.14159265358979323647 0520
31	3.14159265358979323871 1658	3.14159265358979323833 8135
32	3.14159265358979323852 4897	3.14159265358979323843 1516
33	3.14159265358979323847 8206	3.14159265358979323845 4861
34	3.14159265358979323846 6534	3.14159265358979323846 0697
35	3.14159265358979323846 3616	3.14159265358979323846 2157
36	3.14159265358979323846 2886	3.14159265358979323846 2521
37	3.14159265358979323846 2704	3.14159265358979323846 2612
38	3.14159265358979323846 2658	3.14159265358979323846 2635
39	3.14159265358979323846 2647	3.14159265358979323846 2641
40	3.14159265358979323846 2644	3.14159265358979323846 2642

七、圆周率的现代算法之一:
高斯－勒让德算法

这里介绍的方法基于高斯 (Carl Friedrich Gauss, 1777—1855) 和勒让德 (Adrien-Marie Legendre, 1752—1833) 的纯数学理论, 它于 1975 年被布伦特 (Richard Brent) 和萨拉明 (Eugene Salamin) 提炼为适合计算机计算的现代算法. 此算法以迅速收敛著称, 只需 25 次迭代即可产生 π 的 4 500 万位有效数字. 日本筑波大学于 2009 年 8 月 17 日宣布利用此算法计算出 π 小数点后 2 500 多亿 (2 576 980 370 000) 位数字. 这里所讨论的算法之所以被称为高斯－勒让德算法, 是因为这两位大数学家贡献了原始思想. 在 19 世纪, 高斯已经知道算术－几何平均迭代可以导致二次收敛, 就像五中近似求解 $\sqrt{2}$ 的例子那样具有快速的收敛性质; 而勒让德推导出的一个关于椭圆积分的恒等式是算法成功的一个重要保证.

首先引入布伦特－萨拉明 (Brent-Salamin) 公式. 任意选取正数 a_0 和 b_0, 定义

$$a_{n+1} = \frac{a_n + b_n}{2}, \quad b_{n+1} = \sqrt{a_n b_n}, \quad n = 0, 1, 2, \cdots.$$
$$(7.1)$$

下面将会证明由上面这个迭代公式产生的序列 $\{a_n\}$ 和 $\{b_n\}$ 收敛到同一个极限, 极限值依赖于初始值 a_0 和 b_0. 高斯将其称为算术 – 几何平均 $M(a_0, b_0)$.

布伦特 – 萨拉明公式说的是

$$\pi = \frac{4M^2\left(1, \dfrac{1}{\sqrt{2}}\right)}{1 - \displaystyle\sum_{j=1}^{\infty} 2^{j+1} c_j^2}, \qquad (7.2)$$

其中 $M\left(1, \dfrac{1}{\sqrt{2}}\right)$ 是由 (7.1) 和 $a_0 = 1, b_0 = \dfrac{1}{\sqrt{2}}$ 产生的极限值, 而

$$c_j = \frac{1}{2}(a_{j-1} - b_{j-1}), \quad j = 1, 2, \cdots. \qquad (7.3)$$

公式 (7.2) 给出了一个计算圆周率的公式, 下面将会看到由它产生的计算 π 的迭代算法有二次收敛的效果.

1. 算术 – 几何平均的二次收敛

对一般的初始值 $a_0 = a > b_0 = b > 0$, 由算术平均大于几何平均这一事实得到

$$b < b_n < a_n < a, \quad n = 1, 2, \cdots. \qquad (7.4)$$

根据迭代公式 (7.1) 得到

$$a_{n+1} - a_n = \frac{b_n - a_n}{2} < 0,$$
$$b_{n+1} - b_n = \sqrt{b_n}(\sqrt{a_n} - \sqrt{b_n}) > 0.$$

因此序列 $\{a_n\}$ 递减, $\{b_n\}$ 递增, 且根据 (7.4) 知道 $\{a_n\}$ 和 $\{b_n\}$ 有界. 由序列极限的性质, 我们知道 $\{a_n\}$ 和 $\{b_n\}$ 的极限是存在的.

进一步观察到

$$0 < a_{n+1} - b_{n+1} \leqslant a_{n+1} - b_n$$
$$= \frac{a_n + b_n}{2} - b_n = \frac{a_n - b_n}{2}. \tag{7.5}$$

通过数学归纳法可以进一步得到

$$0 \leqslant a_n - b_n \leqslant \frac{a - b}{2^n}. \tag{7.6}$$

这就说明了 $\{a_n\}$ 和 $\{b_n\}$ 的极限值是一样的, 其值被高斯称为算术 – 几何平均, 记为 $M(a, b)$.

注意到 $M(a, b)$ 介于 a_n 和 b_n 之间, 从 (7.6) 可以进一步得到

$$0 \leqslant a_n - M(a, b) \leqslant \frac{a - b}{2^n}, \quad 0 \leqslant M(a, b) - b_n \leqslant \frac{a - b}{2^n},$$

这说明了序列 $\{a_n\}$ 和 $\{b_n\}$ 的收敛速度至少是线性的, 即增加 n 的值, 至少可以看到比较缓慢的收敛.

仔细想想线性收敛这个结论还是比较粗糙的, 主要原因是 (7.5) 的估计不够精细. 再精密一点的

推算给出

$$a_{n+1}^2 - b_{n+1}^2$$
$$= \frac{a_n^2 + 2a_n b_n + b_n^2}{4} - a_n b_n$$
$$= \frac{a_n^2 - 2a_n b_n + b_n^2}{4}$$
$$= \frac{(a_n - b_n)^2}{4}.$$

由于 $a_n + b_n \geqslant 2b_0 = 2b$, 所以

$$a_{n+1} - b_{n+1} = \frac{(a_n - b_n)^2}{4(a_{n+1} + b_{n+1})} \leqslant \frac{(a_n - b_n)^2}{8b}.$$

如五中所讨论的, 我们看到了二次收敛性, 即 $\{a_n\}$ 和 $\{b_n\}$ 的收敛速度是二次的.

下面我们通过计算 $M(\sqrt{2}, 1)$ 来验证算术 – 几何平均算法的收敛速度. 表 9 中给出了前 5 次的迭代结果, 二次收敛的效果已经显而易见: 迭代 5 次后就有了 40 多位有效数字了.

有意思的是, 早在 1800 年, 高斯就亲手用这个算法计算了 $M(\sqrt{2}, 1)$ 的前 4 次迭代, 并且如上表一样得到了 20 位有效数字. 高斯不仅是一位伟大的数学家, 还是物理学家、天文学家、大地测量学家. 他在数学研究上涉猎很广, 除了在纯数学 (数论、分析、几何)、概率统计上的巨大贡献外, 还在计算数学上做出了开创性的工作, 包括最小二乘法、线性代数的高斯消元法、高斯 – 赛德尔迭代法、数值积分的高斯求积公式以及上面讨论的二次收敛的快速算法. 为了纪念这位伟大的数学家, 现在通用的欧元

表 9　算术 − 几何平均前 5 次迭代后 $M(\sqrt{2},1)$ 的近似值

n	a_n	b_n
0	<u>1</u>.414 213 562 373 095 048 801 688 724 209 698 078 569 671 8	<u>1</u>.000 000 000 000 000 000 000 000 000 000 000 000 000 000 000 000 0
1	<u>1</u>.207 106 781 186 547 524 400 844 362 104 849 039 284 835 9	1.189 207 115 002 721 066 717 499 970 560 475 915 292 972 0
2	1.198 <u>156</u> 948 094 634 295 559 172 166 332 662 477 288 904 0	<u>1.198 1</u>23 521 493 120 122 606 585 571 820 152 450 692 013 2
3	<u>1.198 140 234</u> 793 877 209 082 878 869 076 407 463 990 458 6	<u>1.198 140 234</u> 677 307 205 798 383 788 189 800 708 731 830 8
4	<u>1.198 140 234 735 592 207</u> 440 631 328 633 104 086 361 144 7	<u>1.198 140 234 735 592 207</u> 439 213 655 927 543 670 093 280 7
5	<u>1.198 140 234 735 592 207 439 922 492 280 323</u> 878 227 212 7	<u>1.198 140 234 735 592 207 439 922 492 280 323</u> 878 227 212 5

注: 划线部分表示有效数字.

之前的德国马克, 其 10 马克钞票正面就印着高斯的肖像 (图 12).

图 12　高斯的肖像曾被印刷在从 1989—2001 年
流通的德国 10 马克纸币上

2. 布伦特 – 萨拉明公式的推导

虽然证明高斯 – 勒让德公式用的数学工具比较高深, 比如用到了椭圆积分、算术 – 几何平均、勒让德定理等, 但这些数学工具几百年前就已经被纯数学家们奠定了. 正是由于计算机的快速发展, 纯数学家们的这些漂亮理论于 1975 年又焕发了强大的生命力.

下面我们大概描述一下得到 (7.2) 的思路, 如果觉得阅读起来比较困难, 读者可以直接跳过这段.

首先考虑一般初值的算术 – 几何平均序列: 给定 $a > 0, b > 0$

$$a_0 = a, \quad b_0 = b,$$

$$a_{n+1} = \frac{a_n + b_n}{2}, \quad b_{n+1} = \sqrt{a_n b_n}, \quad n = 0, 1, 2, \cdots.$$
$$(7.7)$$

再定义椭圆积分

$$I(p, q) = \int_0^{\frac{\pi}{2}} \frac{\mathrm{d}t}{\sqrt{p^2 \cos^2 t + q^2 \sin^2 t}}, \qquad (7.8)$$

其中 $p > 0, q > 0$. 通过一些变量替换可以验证

$$I\left(\frac{p+q}{2}, \sqrt{pq}\right) = I(p, q). \qquad (7.9)$$

下面这个结果把算术 – 几何平均、椭圆积分及 π 联系在一起了: 对于 (7.7) 给出的初始值 a 和 b, 成立

$$\pi = 2I(a, b)M(a, b), \qquad (7.10)$$

其中 $M(a, b)$ 是由迭代公式 (7.7) 产生的极限值.

下面给出 (7.10) 的证明. 由 (7.7) 和 (7.9) 得到

$$I(a_{n+1}, b_{n+1}) = I\left(\frac{a_n + b_n}{2}, \sqrt{a_n b_n}\right) = I(a_n, b_n).$$

由此可以推出

$$I(a_n, b_n) = I(a_{n-1}, b_{n-1}) = \cdots = I(a_0, b_0) = I(a, b).$$

注意到当 $n \to \infty$ 时, $a_n \to M(a, b), b_n \to M(a, b)$, 我们对上式取极限得到

$$I\big(M(a, b), M(a, b)\big) = I(a, b).$$

根据椭圆积分 I 的定义 (7.8), 有如下推导:

$$I\big(M(a,b), M(a,b)\big) = \frac{1}{M(a,b)} \int_0^{\frac{\pi}{2}} \frac{\mathrm{d}t}{\sqrt{\cos^2 t + \sin^2 t}}$$
$$= \frac{\pi}{2M(a,b)}.$$

结合上面两个结果, 立刻可以得出 (7.10).

在 (7.10) 中, 由于 $M(a,b)$ 可通过 (7.7) 计算出来, 剩下的任务就是计算椭圆积分 $I(a,b)$ 了. 注意到初值可以自由选取, 取 $a_0 = a = 1, b_0 = b = \cos\varphi$, 就有

$$I(1, \cos\varphi) = \int_0^{\frac{\pi}{2}} \frac{\mathrm{d}t}{\sqrt{\cos^2 t + \cos^2\varphi \sin^2 t}}$$
$$= \int_0^{\frac{\pi}{2}} \frac{\mathrm{d}t}{\sqrt{1 - \sin^2\varphi \sin^2 t}}. \tag{7.11}$$

在研究椭圆弧长时, 欧拉很早就研究了第一类椭圆积分, 其定义为

$$K(k) = \int_0^{\frac{\pi}{2}} \frac{\mathrm{d}t}{\sqrt{1 - k^2 \sin^2 t}}.$$

要想计算出 $I(1, \cos\varphi)$, 等价于计算第一类椭圆积分 $K(\sin\varphi)$.

高斯指出: 如果 $c_0 = \sin\varphi, c_{j+1} = (a_j - b_j)/2$, 其中 a_j 和 b_j 由 (7.7) 给出, 那么成立

$$\sum_{j=0}^{\infty} 2^{j-1} c_j^2 = 1 - \frac{E(\sin\varphi)}{K(\sin\varphi)}, \tag{7.12}$$

其中 $E(k)$ 是第二类椭圆积分, 其定义为

$$E(k) = \int_0^{\frac{\pi}{2}} \sqrt{1 - k^2 \sin^2 t}\, \mathrm{d}t.$$

勒让德于 1811 年发现了第一类和第二类椭圆积分有如下的关系:

$$K(k)E\left(\sqrt{1-k^2}\right) + E(k)K\left(\sqrt{1-k^2}\right) -$$
$$K(k)K\left(\sqrt{1-k^2}\right) = \frac{\pi}{2}.$$

取 $k = \dfrac{1}{\sqrt{2}}$, 由上式得

$$2K\left(\frac{1}{\sqrt{2}}\right)E\left(\frac{1}{\sqrt{2}}\right) - K^2\left(\frac{1}{\sqrt{2}}\right) = \frac{\pi}{2}. \quad (7.13)$$

直接验证可以知道 $K(\frac{1}{\sqrt{2}}) = I(1, \frac{1}{\sqrt{2}})$. 在 (7.10) 中, 取 $a = a_0 = 1, b = b_0 = \dfrac{1}{\sqrt{2}}$, 得到

$$K\left(\frac{1}{\sqrt{2}}\right) = I(a_0, b_0) = \frac{\pi}{2M(a_0, b_0)}.$$

结合上面两个结果得到

$$\begin{aligned}
\frac{E\left(\dfrac{1}{\sqrt{2}}\right)}{K\left(\dfrac{1}{\sqrt{2}}\right)} &= \frac{1}{2} + \frac{\pi}{4K^2\left(\dfrac{1}{\sqrt{2}}\right)} \\
&= \frac{1}{2} + \frac{\pi}{4}\left[\frac{2M(a_0, b_0)}{\pi}\right]^2 \\
&= \frac{1}{2} + \frac{M^2(a_0, b_0)}{\pi}.
\end{aligned}$$

在高斯恒等式 (7.12) 中取 $\varphi = \dfrac{\pi}{4}$, 并注意到 $c_0 = \sin\varphi = \dfrac{1}{\sqrt{2}}$, 得到

$$\frac{1}{2}c_0^2 + \sum_{j=1}^{\infty} 2^{j-1}c_j^2 = 1 - \left[\frac{1}{2} + \frac{M^2(a_0, b_0)}{\pi}\right]$$

$$= \frac{1}{2} - \frac{M^2(a_0, b_0)}{\pi}.$$

再注意到 $c_0 = \sin\varphi = \dfrac{1}{\sqrt{2}}$, 就可以容易地得到布伦特 – 萨拉明公式 (7.2).

3. 高斯 – 勒让德算法

高斯 – 勒让德算法基于 (7.2): 选取初值 $a_0 = 1, b_0 = \dfrac{1}{\sqrt{2}}, t_0 = \dfrac{1}{4}, p_0 = 1$, 对 $n = 0, 1, 2, \cdots$, 有

$$a_{n+1} = \frac{a_n + b_n}{2},$$
$$b_{n+1} = \sqrt{a_n b_n},$$
$$t_{n+1} = t_n - p_n(a_n - a_{n+1})^2,$$
$$p_{n+1} = 2p_n,$$
$$\pi_{n+1} = \frac{(a_{n+1} + b_{n+1})^2}{4t_{n+1}}.$$

在表 10 这个算例中, 我们先取 $n = 0$, 算出 $a_1, b_1, t_1, p_1, \pi_1$ 的值, 之后再让 $n = 1$, 重复下去, 就会得到一系列的数据 π_n 来近似 π. 从数值结果可以看出, 高斯 – 勒让德算法是二次收敛的, 即如五中的

表 10　高斯－勒让德算法前 7 次迭代后的近似值

n	π_n
1	3.140 579 250 522 168 248 311 331 268 975 823 311 773 440 237 512 948 335 643 486 693 345 582 758 034 902 907 827
2	3.141 592 646 213 542 282 149 344 431 982 695 774 314 437 223 345 602 794 559 539 484 821 434 767 220 795 264 694
3	3.141 592 653 589 793 238 279 512 774 801 863 974 381 225 504 835 446 935 787 330 702 026 382 137 838 927 399 031
4	3.141 592 653 589 793 238 462 643 383 279 502 884 197 114 678 283 648 921 556 617 106 976 026 764 500 643 061 711
5	3.141 592 653 589 793 238 462 643 383 279 502 884 197 169 399 375 105 820 974 944 592 307 816 406 286 208 998 625
6	3.141 592 653 589 793 238 462 643 383 279 502 884 197 169 399 375 105 820 974 944 592 307 816 406 286 208 998 628 034 825 342 117 067 982 148 086 513 282 306 647 093 844 609 550 582 231 725 359 408 128 481 117 450 284 102 701 936
7	3.141 592 653 589 793 238 462 643 383 279 502 884 197 169 399 375 105 820 974 944 592 307 816 406 286 208 998 628 034 825 342 117 067 982 148 086 513 282 306 647 093 844 609 550 582 231 725 359 408 128 481 117 450 284 102 701 938 521 105 559 644 622 948 954 930 381 964 428 810 975 665 933 446 128 475 648 233 786 783 165 271 201 909 145 648 566 923 460 348 610 454 326 648 213 393 607 260 249 141 273 724 587 006 606 315 558 174 881 520 920 962 829 254 091 714

注：划线部分表示有效数字.

例子所演示的那样, 误差随着迭代次数呈平方阶递减. 特别地, 迭代 3 次后就可以得到 19 位有效数字, 迭代 5 次就可以得到 84 位, 迭代 6 次后有效数字 171 位, 而迭代 7 次时, 有效数字就增加为 345 位.

事实证明, 只有用到深刻的数学以及高超的算法设计, 才可以产生更有威力的算法. 这也是计算数学的精华所在.

八、圆周率的现代算法之二: BBP 算法

BBP 算法由贝利 (David Bailey), 波尔温 (Peter Borwein) 和普劳夫 (Simon Plouffe) 于 1997 年共同发表, 三人姓氏的第一个字母组成了算法的名字. 此算法打破了传统的圆周率的算法, 包括本书提到的其他所有算法. 在十六进制下, 它可以直接计算圆周率的任意第 n 位有效数字, 而不需先计算前面的 $n-1$ 位有效数字.

BBP 算法 (也叫贝利 – 波尔温 – 普劳夫算法) 基于下面的公式:

$$\pi = \sum_{k=0}^{\infty} \frac{1}{16^k} \left(\frac{4}{8k+1} - \frac{2}{8k+4} - \frac{1}{8k+5} - \frac{1}{8k+6} \right).$$
(8.1)

长期以来, 求出 π 的第 n 位小数而不求出它的前 $n-1$ 位曾被认为是不可能的.

1. BBP 公式的推导

本节的证明用到了一些定积分的技巧. 首先验证下面这个积分结果: 对于任意给定的自然数 n,

$$\sum_{k=0}^{\infty} \frac{1}{16^k(8k+n)} = 2^{\frac{n}{2}} \sum_{k=0}^{\infty} \frac{x^{n+8k}}{8k+n} \bigg|_{x=0}^{x=\frac{1}{\sqrt{2}}}$$

$$= 2^{\frac{n}{2}} \sum_{k=0}^{\infty} \int_0^{\frac{1}{\sqrt{2}}} x^{n-1+8k} \mathrm{d}x = 2^{\frac{n}{2}} \int_0^{\frac{1}{\sqrt{2}}} \frac{x^{n-1}}{1-x^8} \mathrm{d}x,$$

成立. 上式最后一步用到了 $a_k = x^{n-1+8k}$ 是公比为 x^8 的等比级数项这一事实, 然后用等比级数之求和得到. 在上式中分别令 $n = 1, 4, 5, 6$, 就得到

$$\sum_{k=0}^{\infty} \frac{1}{16^k} \left(\frac{4}{8k+1} - \frac{2}{8k+4} - \frac{1}{8k+5} - \frac{1}{8k+6} \right)$$

$$= \int_0^{\frac{1}{\sqrt{2}}} \frac{4\sqrt{2} - 8x^3 - 4\sqrt{2}x^4 - 8x^5}{1-x^8} \mathrm{d}x. \tag{8.2}$$

对有理函数

$$\frac{x^k}{1-x^8} = \frac{1}{2} \frac{x^k}{1-x^4} + \frac{1}{2} \frac{x^k}{1+x^4}, \quad k = 0, 1, \cdots, 5,$$

进行积分, 就能验证 (8.2) 的右端恰等于 π.

另一方面, 通过数学符号计算软件可以给出一个相对简单的证明, 简介如下. 做一个变量替换 $y = \sqrt{2}x$, 可以把上面的积分简化为

$$16 \int_0^1 \frac{4 - 2y^3 - y^4 - y^5}{16 - y^8} \mathrm{d}y. \tag{8.3}$$

在 [4] 中, 作者用 Mathematica 证明了 (8.3) 和下面的这个积分值是一样的:

$$\int_0^1 \frac{16y - 16}{y^4 - 2y^3 + 4y - 4} \mathrm{d}y. \tag{8.4}$$

做一些基本的积分计算可以验证

$$\begin{aligned}
&\int_0^1 \frac{16y - 16}{y^4 - 2y^3 + 4y - 4} \mathrm{d}y \\
&= \int_0^1 \left[\frac{4(2-y)}{y^2 - 2y + 2} + \frac{4y}{y^2 - 2} \right] \mathrm{d}y \\
&= \int_0^1 \left[\frac{4 - 4y}{y^2 - 2y + 2} + \frac{4}{1 + (y-1)^2} + \frac{4y}{y^2 - 2} \right] \mathrm{d}y \\
&= \left[-2\ln(y^2 - 2y + 2) + 4\arctan(y-1) + \right. \\
&\qquad \left. 2\ln(2 - y^2) \right] \Big|_0^1 \\
&= \pi.
\end{aligned}$$

这就完成了 (8.1) 式的推导.

2. BBP 算法的基本思想

要了解 BBP 算法是如何工作的, 让我们先考察计算机如何用二进制计算 $\ln 2 = 0.69314718056\cdots$. 由于

$$\begin{aligned}
\ln(1 + x) &= \int_0^x \frac{1}{1+t} \mathrm{d}t \\
&= \int_0^x (1 - t + t^2 - t^3 + \cdots) \mathrm{d}t \\
&= x - \frac{x^2}{2} + \frac{x^3}{3} - \frac{x^4}{4} + \cdots.
\end{aligned}$$

$$= \sum_{k=1}^{\infty} (-1)^{k+1} \frac{x^k}{k},$$

在上式中代入 $x = -\dfrac{1}{2}$ 得到

$$\ln 2 = -\ln\left(1 - \frac{1}{2}\right) = \sum_{k=1}^{\infty} \frac{1}{2^k k}$$

$$= \frac{1}{2} + \frac{1}{2^2 \cdot 2} + \frac{1}{2^3 \cdot 3} + \cdots.$$

现在让我们看看 $\ln 2$ 的二进制数字为

$$\ln(2) = 0.d_1 d_2 d_3 d_4 \cdots$$

$$= d_1 \cdot 2^{-1} + d_2 \cdot 2^{-2} + d_3 \cdot 2^{-3} + d_4 \cdot 2^{-4} + \cdots.$$

如果我们想计算其第 $n+1$ 位数字 d_{n+1}, 可将上式两边同时乘 2^n 得

$$2^n \ln 2 = d_1 \cdot 2^{n-1} + d_2 \cdot 2^{n-2} + \cdots + \quad (8.5)$$

$$d_n + d_{n+1} 2^{-1} + d_{n+2} 2^{-2} + \cdots$$

$$= d_1 d_2 \cdots d_n.d_{n+1} d_{n+2} \cdots.$$

注意到在最后一行的式子里, d_n 后面有个小数位点, 而我们希望找到的 d_{n+1} 是小数点后面的第一位数字. 因此, 根据二进制的法则, 如果 $2^n \ln 2$ 的小数部分小于 0.5, 即 (8.5) 中的 $d_{n+1} 2^{-1}$ 项贡献小于 0.5, 那么 $d_{n+1} = 0$, 否则容易看出 $d_{n+1} = 1$ (原因是 d_{n+1} 只能取 0 和 1 中的一个). 所以我们只需要计算 $2^n \ln 2$ 的小数部分, 记其为 $\{2^n \ln 2\}$, 计算如下:

$$\{2^n \ln 2\} = \left\{ 2^n \sum_{k=1}^{\infty} \frac{1}{2^k k} \right\} = \left\{ \sum_{k=1}^{\infty} \frac{2^{n-k}}{k} \right\}$$

$$= \left\{ \left\{ \sum_{k=1}^{n} \frac{2^{n-k}}{k} \right\} + \sum_{k=n+1}^{\infty} \frac{2^{n-k}}{k} \right\}.$$

进一步可以得到

$$\{2^n \ln 2\} = \left\{ \underbrace{\sum_{k=1}^{n} \frac{2^{n-k} \,(\mathrm{mod}\, k)}{k}}_{T_1} + \underbrace{\sum_{k=n+1}^{\infty} \frac{2^{n-k}}{k}}_{T_2} \right\}, \tag{8.6}$$

其中 mod 是模 k 的求余. 上式右端的和式 T_1 的各项可以通过使用二进位求幂法计算, 从而大大提高计算效率. 比如说, 计算 2^{34} 可以采用

$$2^{34} = \left(\left(\left(\left(2^2 \right)^2 \right)^2 \right)^2 \right)^2 \cdot 2^2.$$

这就仅需 6 次乘法, 而不是通常的 33 次乘法. 进一步地, 很容易观察到

$$T_2 = \sum_{k=n+1}^{\infty} \frac{2^{n-k}}{k} < \frac{1}{n+1} \sum_{k=n+1}^{\infty} 2^{n-k} = \frac{1}{n+1},$$

也就是说, (8.6) 中的和式 T_2 小于 $\dfrac{1}{n+1}$, 当 n 很大时, 此项贡献很小, 并且 T_2 的各项迅速衰减, 不需要计算几项就可以得到所希望的结果. 回忆一下只需要确定小数部分是小于或大于 0.5 的讨论, 那么如果 T_1 的计算结果大于 0.5, 或者小于 $0.5 - \dfrac{1}{n+1}$, 则 T_2 就不需要计算了. 在前一种情况下, d_{n+1} 肯定为 1, 而在后一种情形下, d_{n+1} 肯定为 0.

再回到 BBP 公式 (8.1), 我们可以类似地讨论如何得到 d_{n+1}. 采用前面同样的符号, 我们计算 $16^n\pi$ 的小数部分

$$\{16^n\pi\} = \Big\{4\{16^nS_1\} - 2\{16^nS_4\} - \qquad (8.7)$$
$$\{16^nS_5\} - \{16^nS_6\}\Big\},$$

其中对 $j = 1, 4, 5, 6$, 有

$$S_j = \sum_{k=0}^{\infty} \frac{1}{16^k(8k+j)}.$$

注意到

$$\{16^nS_j\}$$
$$= \left\{\left\{\sum_{k=0}^{n} \frac{16^{n-k}}{8k+j}\right\} + \sum_{k=n+1}^{\infty} \frac{16^{n-k}}{8k+j}\right\}$$
$$= \left\{\left\{\sum_{k=0}^{n} \frac{16^{n-k} \pmod{8k+j}}{8k+j}\right\} + \sum_{k=n+1}^{\infty} \frac{16^{n-k}}{8k+j}\right\},$$

与讨论 $\ln 2$ 的情形相似, 可参照对 (8.6) 采用二进位求幂法, 在十六进制下来计算 $\{16^nS_j\}$. 把上面得到的四个结果代进 (8.7), 加上或减去适当的常数, 就会得到一个 0 和 1 之间的数. 把这个数以十六进制表示出来, 就得到了 π 的 n 位后的十六进制数了.

作为一个例子, 取 $n = 1\,000\,000$, 我们考虑第 100 万后的十六进制数. 由

$$S_1 = 0.181\,039\,533\,801\,436\,067\,853\,489\,346\,252\cdots,$$
$$S_4 = 0.776\,065\,549\,807\,807\,461\,372\,297\,594\,382\cdots,$$

$$S_5 = 0.362\,458\,564\,070\,574\,142\,068\,334\,335\,591\cdots,$$

$$S_6 = 0.386\,138\,673\,952\,014\,848\,001\,215\,186\,544\cdots,$$

根据 (8.7) 得到

$$\{16^n \pi\}$$

$$= 0.423\,429\,797\,567\,540\,358\,599\,812\,674\,109\cdots.$$

通过反复乘 16, 上面这个数可以导出序列 6, 12, 6, 5, 14, 5, 2, 12, 11, 4, 5, 9, 3, 5, 0, 0, 5, 0, 14, 4, 11, 11, 1, $\cdots$, 并可以进一步转换成十六进制表达式

$$6C65E52CB459350050C4BB1.$$

这实际上给出了圆周率 π 在一百万零一位的前 24 位十六进制数.

下面简单谈谈 BBP 算法的两个应用[8].

关于 π 的计算一直是搞计算的数学家们的试刀石; 计算机的每一次升级都伴随着更多位数的计算. 我们知道, 计算机速度的增长遵守一个莫尔规律, 说的是计算机的运算速度大约每两年就要翻一番 (也有说是 18 个月). 如果我们把 π 的位数的计算与计算机速度的增长做一个图, 会发现这两个量几乎完全线性相关. 现在有案可查的 π 的计算已经到了 10 的 13 次方. 这就带来了一个问题: 计算机程序出错是有可能的, 我们怎么知道这些算出来的数字可信呢? 由于 BBP 算法可以直接算出 π 的特定数段, 我们就可以用它来验证用别的公式或方法算出的 π 值. 随便挑出几截来, 用 BBP 公式验算一下, 如果结果吻合, 就几乎可以断定结果是可靠的.

BBP 算法还可以为圆周率计算的并行计算提供保证: 假设我们有 1 000 台计算机, 每台计算机就可以独立操作, 比如第一台算前 10 万位, 第二台算 10 万零 1 到 20 万位, 以此类推, 互不干涉, 就可以大大加快计算速度. 通常情况下, 用单台计算 10 万位小数点后数字的时间, 如果采用 1 000 台计算机并行计算, 就可以算出一亿位了.

九、后　　记

这本小册子最后几部分讨论的方法是计算数学常用的方法: 级数修正、数值积分、迭代、二次收敛等. 在这本小册子结束之际, 作者试图通过后记来简单讨论一下计算数学的特点.

基本上来说, 数学分纯数学和应用数学两种. 纯数学追求的是漂亮完美, 有用没用是次要的考虑因素, 所以想解决的问题有很多是有一定历史的老问题, 几百年未解决的猜想最受追捧, 越老越吃香; 应用数学则从实际出发, 不管黑猫白猫, 能最有效解决实际问题是目标, 基本上考虑的是目前和将来关心的问题, 大都是越新越受欢迎.

应用数学的一个重要分支就是计算数学, 而计算数学所追求的一个基本目标就是计算效率, 把计算机的能动性充分调动起来, 也就是说采用最适当的数学来设计算法, 以期把计算效率极大地提高.

首先, 计算数学所寻求的基本点是问题的近似解或近似值, 相对于精确解或精确值来说, 这当然不是雕虫小技、无足轻重, 而是具有独特的重要性. 例

如 $x^2 - 2 = 0$ 的精确解是 $\sqrt{2}$, 但

- 精确解在很多情况下难以求得 (即使数学上证明了其存在性, 也不能保证知道它的值);

- 在实际应用时很多情况下需要其具体的数字, 如 $\sqrt{2} = 1.414\ 213\ 56\cdots$;

- 在实际应用中由于精度的限制, 只需要一个与精确解相匹配的数值近似解即能定量地完成要求, 比如我们在使用 GPS 定位时, 需要计算 $u(t) = \cos(2\pi f t)$, 这里 $f \approx 10^9$, 当 t 接近 1 时, 我们需要 π 有 15 位有效数字, 才可以得到 $u(t)$ 的合理近似. 这时只要得到 π 的前 15 位有效数字就可以了;

- 另外, 我们经常采用的数学模型本身也是近似的 (忽略了一些次要因素), 并不可能百分之百的精确; 在这种情况下, 一定非要求出它的精确解本身就是一个苛刻且不必要的要求.

因此, 从实际应用的角度, 求出问题具有足够精确度的近似解实际上是一个根本性的要求, 并没有打一些折扣来 "讨价还价" 的意味.

下面再谈谈计算数学的任务. 首先是为求近似数值解提供算法, 特别是有效而快速的算法, 这是最最主要的; 其次是建立这些算法的理论基础, 即误差分析, 也就是说估计出近似解与精确解之间的差距. 有了这个误差分析, 我们就可以知道如何根据精度的要求有的放矢地控制计算量, 从而处于十分主动的地位.

有些人会认为计算数学只要用点加减乘除, 最

多加点微积分, 就可以完全搞定. 本书已经给读者演示了如果仅采用简单的数学, 设计出的计算方法速度可能非常慢; 而如果采用高深点的数学, 就可以大幅度提高计算效率.

下面用矩阵计算的例子进一步说明计算数学的特点. 矩阵是大学生甚至中学生就接触到的知识, 应该比较容易理解.

矩阵计算看起来是一个再简单不过的事情, 可是它的发展充分体现了计算数学的精华: 快速、高效、精准. 它的发展有冯·诺伊曼、图灵 (图 13) 这样的开创人, 也有众多现代数学家参与, 还成功地诞生了数学软件 MATLAB.

(a)   (b)

图 13　冯·诺伊曼 (a)、图灵 (b) 是现代
数值代数计算的开拓人

首先来看一个矩阵

$$H_5 = \begin{bmatrix} 1 & \dfrac{1}{2} & \dfrac{1}{3} & \dfrac{1}{4} & \dfrac{1}{5} \\[2mm] \dfrac{1}{2} & \dfrac{1}{3} & \dfrac{1}{4} & \dfrac{1}{5} & \dfrac{1}{6} \\[2mm] \dfrac{1}{3} & \dfrac{1}{4} & \dfrac{1}{5} & \dfrac{1}{6} & \dfrac{1}{7} \\[2mm] \dfrac{1}{4} & \dfrac{1}{5} & \dfrac{1}{6} & \dfrac{1}{7} & \dfrac{1}{8} \\[2mm] \dfrac{1}{5} & \dfrac{1}{6} & \dfrac{1}{7} & \dfrac{1}{8} & \dfrac{1}{9} \end{bmatrix}. \tag{9.1}$$

这类矩阵以数学家希尔伯特的名字冠名, 称为希尔伯特矩阵. (9.1) 是一个五阶的希尔伯特矩阵. 一般来说, 对 n 阶希尔伯特矩阵, 其第 i 行第 j 列的元素是

$$h_{i,j} = \frac{1}{i+j-1}.$$

希尔伯特矩阵是一个正定矩阵, 也就是说它的每个子矩阵的行列式都是正数.

不要小看这么简单的矩阵, 其求逆 (即求其逆矩阵) 是十分困难的; 如果用大家熟悉的高斯消元法求逆, 对于 5 阶以上的希尔伯特矩阵, 基本上得到的都是相去甚远的 "近似". 用数学家冯·诺伊曼的 "条件数" 概念来看: 如果一个矩阵的条件数太大, 则其求逆是一个非常困难的事情! 而对上面的 5 阶希尔伯特矩阵来说, 可以验证其条件数已经超过 10^5 了.

正是意识到矩阵求逆的困难性, 冯·诺伊曼在 1947 年就发表了一篇文章, 叫 "高阶矩阵的数值求逆"[5], 这篇近 80 页的文章讨论了两个重要的概念:

舍入误差和条件数. 这篇文章被认为是现代数值代数研究的开端.

几乎在同一个时期, 另一位伟大的数学家 —— 也是现代计算机的先驱 —— 图灵也认识到矩阵计算的重要性; 他也发表了一篇题为 "矩阵计算中的舍入误差" 的文章[6], 对高斯消元法给出了和冯·诺伊曼类似的分析.

有了计算机之后的 70 年里, 数值矩阵计算一直是一个重要的研究方向, 并且吸引了大量优秀的计算科学家, 包括美国两院院士戈卢布 (Gene Golub), 德梅尔 (James Demmel), 美国工程院院士莫勒 (Cleve Moler), 陈繁昌 (Tony Chan), 英国皇家学会会员特雷费森 (Nick Trefethen), 海厄姆 (Nick Higham) 等. 原因有下面多个方面:

- 第一: 矩阵计算容易听得懂, 中学生都可以接受很多概念.
- 第二: 实际问题需要解决超巨大的矩阵问题 (上亿阶或更高), 有挑战性.
- 第三: 最优化、图像处理、工程上的有限元计算等实际问题, 最终无一例外都会归结为大型矩阵的计算问题.
- 第四: 不断发现的成功的迭代算法, 大大加速了矩阵计算的速度和精度, 给计算数学研究者不断带来挑战和动力; 如何找到最有效、最优的迭代算法成了一个重要的研究方向.
- 第五: 很多重要的数学和工程软件基于有效的矩阵计算方法, 其中MATLAB就是一个典范.

另外, 矩阵计算具有强烈的时代气息, 比如谷歌的核心技术就是超大型随机矩阵的特征值近似求解问题[7].

上面通过矩阵计算的例子, 说明了计算数学这门学科有很强的实际应用背景, 由伟大的科学家冯·诺伊曼、图灵 (还有高斯、欧拉、拉格朗日) 等开创, 计算效率是看得见摸得着的硬指标, 好坏立竿见影. 而在计算机时代, 研究算法所需要的知识绝不仅限于初等数学或微积分, 正如七中高斯 – 勒让德算法所显示的那样, 只有用到深刻的数学才可以产生更有威力的算法.

参 考 文 献

[1] 华罗庚. 从祖冲之的圆周率谈起. 北京: 人民教育出版社, 1964.

[2] 李大潜. 圆周率 π 漫话. 北京: 高等教育出版社, 2007.

[3] MAOR E. 三角之美: 边边角角的趣事. 曹雪林, 边晓娜, 译. 北京: 人民邮电出版社, 2010.

[4] BAILEY D, BORWEIN P, PLOUFFE S. On the rapid computation of various polylogarithmic constants. Mathematics of Computation of the American Mathematical Society, 1997, 66(218): 903-913.

[5] VON NEUMANN J, GOLDSTINE H H. Numerical inverting of matrices of high order, Bulletin of the American Mathematical Society, 1947, 53: 1021-1099.

[6] TURING A M. Rounding-off errors in matrix processes. The Quarterly Journal of Mechanics and Applied Mathematics, 1948, 1(1): 287-308.

[7] AUSTIN D. 谷歌如何从网络的大海里捞到针. 沈栋, 译. 数学文化, 2012, 3(4): 67-69.

[8] 万精油. π 日趣谈. 数学文化, 2017, 8(2): 94-96.

郑重声明

高等教育出版社依法对本书享有专有出版权。任何未经许可的复制、销售行为均违反《中华人民共和国著作权法》，其行为人将承担相应的民事责任和行政责任；构成犯罪的，将被依法追究刑事责任。为了维护市场秩序，保护读者的合法权益，避免读者误用盗版书造成不良后果，我社将配合行政执法部门和司法机关对违法犯罪的单位和个人进行严厉打击。社会各界人士如发现上述侵权行为，希望及时举报，我社将奖励举报有功人员。

反盗版举报电话　　（010）58581999　　58582371

反盗版举报邮箱　　dd@hep.com.cn

通信地址　　北京市西城区德外大街4号

　　　　　　高等教育出版社法律事务部

邮政编码　　100120

读者意见反馈

为收集对教材的意见建议，进一步完善教材编写并做好服务工作，读者可将对本教材的意见建议通过如下渠道反馈至我社。

咨询电话　　400-810-0598

反馈邮箱　　hepsci@pub.hep.cn

通信地址　　北京市朝阳区惠新东街4号富盛大厦1座

　　　　　　高等教育出版社理科事业部

邮政编码　　100029